roman lime

Dominique et Compagnie

Sous la direction de
Agnès Huguet

Nancy Montour

Capitaine Flop
La grotte aux secrets

Illustrations
Fil et Julie

Catalogage avant publication de Bibliothèque et Archives nationales du Québec et Bibliothèque et Archives Canada

Montour, Nancy
La grotte aux secrets
(Roman lime ; 9)
(Capitaine Flop)
Pour enfants de 7 ans et plus.

ISBN 978-2-89512-649-2
I. Fil, 1974- . II. Julie, 1975- .
III. Titre. IV. Collection.

PS8576.O528G76 2008 jC843'.6 C2007-940902-4
PS9576.O528G76 2008

© Les éditions Héritage inc. 2008
Tous droits réservés
Dépôts légaux : 1er trimestre 2008
Bibliothèque et Archives nationales
du Québec
Bibliothèque nationale du Canada
Bibliothèque nationale de France

ISBN 978-2-89512-649-2
Imprimé au Canada

10 9 8 7 6 5 4 3 2 1

Direction de la collection :
Agnès Huguet
Conception graphique :
Primeau & Barey
Révision : Céline Vangheluwe
Correction : Corinne Kraschewski

Dominique et compagnie
300, rue Arran
Saint-Lambert (Québec)
J4R 1K5 Canada
Téléphone : 514 875-0327
Télécopieur : 450 672-5448
Courriel :
dominiqueetcie@editionsheritage.com
Site Internet :
www.dominiqueetcompagnie.com

Nous remercions le Conseil des Arts du
Canada de l'aide accordée à notre programme de publication. Nous reconnaissons l'aide financière du gouvernement du
Canada par l'entremise du Programme
d'aide au développement de l'industrie de
l'édition (PADIÉ) pour nos activités d'édition.

Nous reconnaissons l'aide financière du
gouvernement du Québec par l'entremise
du Programme de crédit d'impôt pour l'édition de livres – SODEC – et du Programme
d'aide aux entreprises du livre et de
l'édition spécialisée.

L'auteure remercie le Conseil des arts et des
lettres du Québec de son appui financier.

*Pour Alexis,
qui découvre petit
à petit les secrets
de la vie*

Un petit mot de Millie...

Avant de lire le deuxième tome de cette aventure, tu dois savoir que mon frère jumeau et moi avions demandé une grande chasse au trésor comme cadeau d'anniversaire. « Très bien, avait répondu notre père, je vous promets un séjour fabuleux sur une île oubliée... »

Papa tient toujours ses promesses. Et le soir de notre arrivée sur l'île Verte, Alexis et moi avons découvert une vieille carte au trésor. Elle était cachée derrière un portrait, dans notre chambre, à l'auberge.

Le lendemain, lorsque nous avons rencontré un capitaine près de l'anse à la Baleine, nous avons vraiment cru que papa l'avait engagé pour nous aider à retrouver ce trésor...

C'est comme ça que nous avons mis le cap sur l'île Rouge à bord d'une vieille goélette de bois !

Là-bas, un gentil perroquet de mer nous a conduits jusqu'à une curieuse embarcation. C'est au fond de cette chaloupe que mon frère a déniché une clé. Ça ne pouvait être que la clé du trésor ! Nous l'avons donc gardée. Mais, tout de suite après, un effrayant personnage marchait droit vers nous sur le rivage… Un pirate ! Quelle peur nous avons eue ! Nous sommes retournés à toute allure à bord de la goélette et le capitaine Flop a aussitôt mis le cap sur l'île du Pot. Il n'avait pas l'air content d'apprendre que le pirate était à nos trousses…

J'ai alors fait trois terribles découvertes : la goélette de bois était TROUÉE, l'expédition n'était PAS DU TOUT organisée par notre papa et… le capitaine Flop était un FANTÔME !

Chapitre 1
Prisonnière

La goélette du capitaine Flop file silencieusement vers l'île du Pot. Personne n'ose dire un mot. Je regarde mon frère Alexis droit dans les yeux. Comme lui, je n'arrive pas à croire que le capitaine puisse être un vrai fantôme. Il a l'air si réel... et il m'a solidement agrippée tantôt pour que je ne tombe pas dans la cale de son bateau ! Le capitaine Flop semble embarrassé. Il a avoué qu'il y a bel et bien un énorme trou dans la coque de son voilier. Il a raconté qu'il s'est noyé dans l'eau glacée du Saint-Laurent en 1810, lorsque sa goélette s'est fracassée sur les rochers de l'île Verte. Il a parlé aussi de la carte du trésor que nous avons trouvée dans l'ancienne maison des gardiens du phare. Il prétend que c'est Rose Hambelton qui l'aurait cachée. C'est ridicule. Pourquoi la fille d'un gardien de phare aurait-elle caché une carte derrière son portrait?

• • •

Soudainement, mon perroquet de mer s'envole. Il se dirige vers l'île Rouge. L'île du pirate. J'aimerais bien qu'il aille chercher du secours, mais ce n'est qu'un perroquet. Je ne compte pas trop là-dessus. Et après tout, je ne suis pas en danger. Je n'ai qu'à dire au capitaine que je veux retourner au phare de l'île Verte immédiatement !

— Capitaine, j'aimerais retourner au…

— C'est hors de question, coupe aussitôt le capitaine Flop. Je ne peux pas vous raccompagner tout de suite, Millie. Je dois naviguer encore un peu. Nous aborderons l'île du Pot comme prévu.

— Mais pourquoi ? C'est idiot, puisque le trésor de notre papa n'est pas là.

Je regarde mon frère. À quoi pense-t-il ? Pourquoi est-ce qu'il ne dit rien ? Le capitaine ajoute sur un ton moins bourru :

—Écoutez, les enfants. Je ne voulais pas vous faire peur. Je ne suis pas plus méchant maintenant que vous savez que je suis un fantôme! Et puis, il y a un vrai trésor caché quelque part. Je dois absolument le retrouver avant le pirate. Vous pourriez m'aider!

—Le capitaine a raison, Millie. Il n'est pas plus méchant qu'avant.

– Quoi ! Tu plaisantes, Alexis ? C'est un fantôme !

– Millie, penses-y… un vrai trésor !

– Désolée, mais je ne suis pas intéressée. Je veux rentrer à l'auberge TOUT DE SUITE !

– Calme-toi, Millie, ordonne le capitaine. Et cesse de crier comme ça !

Je ne suis pas d'humeur à recevoir les ordres ridicules d'un capitaine fantôme. Puisque c'est comme ça, je rentrerai à la nage. Je n'ai pas gagné une médaille en natation pour rien. Le capitaine a l'air furieux tout à coup. Lit-il vraiment dans mes pensées ? Il fait deux pas dans ma direction. Je lui donne un bon coup de pied. Rien à faire, le capitaine m'attrape par le bras et m'entraîne vers le petit mât.

— Millie, sois raisonnable. L'eau du fleuve est si froide que tu ne survivrais pas plus de quelques minutes ! Si tu ne te calmes pas immédiatement, je vais t'attacher à ce mât !

• • •

Quand je pense que mon frère Alexis a promis d'être aux ordres de ce capitaine fantôme ! Quand je pense qu'il lui a même remis la clé du trésor que NOUS avons trouvée dans la chaloupe du pirate ! Moi, au

moins, je n'ai rien promis. C'est pour cette raison d'ailleurs que mon frère apprend à naviguer alors que moi, je suis ligotée. Si seulement Alexis n'avait pas tenté de m'effrayer hier soir, à l'auberge… Je n'aurais pas fait tomber ce tableau sur mon lit. Nous n'aurions jamais retrouvé cette carte et je ne serais pas attachée à ce petit mât !

Le capitaine Flop s'approche de moi et me dit :

— Millie, tu sais, un capitaine n'est rien sans son équipage.

Je détourne les yeux pour ne pas le voir et je reste muette comme une marionnette.

— Sois gentille, Millie, promets-moi de ne pas faire de bêtises et je te libérerai.

—Je SUIS gentille. C'est juste que je ne parle PAS aux fantômes !

—Très bien, Millie. Je saurai te faire changer d'avis.

Aussitôt, je remarque un étrange nuage qui ondule sur le pont de la goélette. On dirait un affreux serpent de brume. Le bateau commence à disparaître dans le brouillard et à craquer de toutes parts. Je gigote dans tous les sens. J'ai si peur que je me mets à crier :

—ALEXIS ! ALEXIS !

—Millie ? Est-ce que ça va ? s'inquiète mon frère.

J'ouvre grands les yeux. Le serpent de brume a disparu. Le ciel est bleu et le soleil brille. Il n'y a plus la moindre trace de brouillard. Alexis me regarde d'un air inquiet. N'a-t-il pas vu cet horrible serpent de brume lui aussi ? Le capitaine me demande d'un air vainqueur :

— Est-ce que tu promets de ne pas faire de bêtises, à présent ?

Chapitre 2

Une étrange course

Assise sur un petit coffre, je grignote une pomme que nous avions emportée comme collation. J'écoute sagement le récit du capitaine Flop. Il raconte que son grand-père était marchand, que son père était marchand et qu'il était marchand lui aussi.

— Depuis les années 1800, le paysage n'a pas tellement changé. Sauf qu'à l'époque beaucoup plus de navires naviguaient sur le fleuve. Il

n'y avait qu'une petite route caho-
teuse qui longeait le Saint-Laurent,
même qu'à certains endroits il n'y
en avait pas. Alors, toutes les marchandises voyageaient par bateau :
les patates, la farine, le sucre, la mé-
lasse, le bois de sciage… Tout ! Enfin,
presque tout. Mais, vous savez, la
plupart des villages n'avaient pas de
quai. La goélette de mon père était
parfaite pour ce genre de travail
car elle n'avait pas besoin d'accoster. Elle s'échouait sur le rivage
lorsque la marée baissait. Son fond
plat lui permettait de ne pas trop
basculer. Ensuite, il ne restait plus
qu'à transporter les marchandises
sur des charrettes que les chevaux
tiraient jusqu'aux maisons.

Pendant que le capitaine raconte

fièrement l'histoire de sa goélette, je remarque quelque chose de blanc qui nage près de nous.

— Des baleines ! s'écrie mon frère.

Je me lève d'un bond.

— Wow ! C'est super ! J'adore les bélugas.

Le capitaine s'étonne de notre enthousiasme.

— Autrefois, les gens les chassaient. Leur cuir est imperméable, comme celui de mes bottes ! À l'époque, toutes les lanternes fonctionnaient à l'huile de baleine ou de phoque. Même celle du phare.

Devant notre air dégoûté, le capitaine éclate de rire. Il sort de sa poche une dent énorme qu'il offre à Alexis.

— Pour passer le temps, certains

matelots gravaient de magnifiques voiliers ou des paysages sur les dents et les os de baleine.

– C'est vraiment spécial, murmure mon frère.

– Je t'en fais cadeau, Alexis. Tu peux la garder.

Je trouve cet objet répugnant. Moi, je préfère les bélugas vivants. Je vais jusqu'à l'avant du bateau. Je me moque un peu du capitaine en disant :

– La *proue*, Millie, la *proue* !

En regardant nager la famille de
bélugas, je songe à maman et à
papa. Je ferme les yeux et je fais le
vœu d'être à nouveau auprès d'eux,
dans la vieille maison des gardiens
du phare. Je suis triste de voir mon
frère complice de ce capitaine. On
dirait que c'est moi, le fantôme, ici.

Nous approchons de l'île du Pot. Il y a des arbres sur cette île rocheuse et le phare est différent de celui de l'île Verte et de celui de l'île Rouge. Cette fois-ci, c'est une maison-phare.

Mes belles petites baleines blanches ont changé de direction. En les suivant du regard, je découvre au loin une embarcation qui se dirige droit vers nous. Je n'en reviens pas ! C'est une chaloupe et elle porte une grande voile carrée toute colorée de jaune, d'orangé, de rouge et de noir. Comme c'est curieux ! On dirait les couleurs du bec de mon perroquet de mer. Le capitaine, lui, semble furieux de voir ce bateau naviguer dans notre direction. Il ordonne :

— Assoyez-vous, les enfants, et surtout, restez cachés.

Il enlève son long manteau et le lance tout près de moi. Il retrousse ses manches puis se dépêche d'ajuster les voiles. Les deux navires s'affrontent. Ils font la course. Je veux savoir ce qui se passe. J'attends le bon moment et, dès que le capitaine a le dos tourné, je me redresse pour regarder par-dessus le pavois…

C'est le pirate ! Celui que nous avons rencontré sur l'île Rouge. Je le reconnais parce que le nœud de son foulard cache la moitié de son visage. Et, en plus, mon perroquet de mer est perché sur son épaule ! Je me cache à nouveau, près du long manteau du capitaine Flop. Ça me donne une idée… Je pourrais glisser ma main menue dans l'ouverture de la poche et reprendre la clé qu'Alexis

27

lui a donnée. Je jette un coup d'œil vers le capitaine et vers mon frère qui n'a pas bougé. Le capitaine s'affaire toujours à manœuvrer la goélette.

Le cœur battant, je plonge ma main dans la poche. Ça y est, je mets la clé en vitesse dans mon imperméable. Je me soulève pour voir si le pirate est toujours là. Je l'entends rire à tout vent, mais je ne le vois plus, car un épais brouillard se lève subitement.

Chapitre 3

Les perles blanches

Le capitaine aborde avec prudence la côte rocheuse de l'île du Pot. Il attache solidement les amarres à un quai flottant, près d'un autre bateau plus petit. Cette fois, il a décidé de nous accompagner jusqu'au phare. Moi, je n'ai qu'une idée en tête : rejoindre mes parents. J'attrape mon sac et je saute sur la passerelle de bois construite au-dessus des rochers abrupts. La première chose à faire serait de trouver quelqu'un qui puisse nous ramener sur l'île Verte. J'aperçois justement des gens sur une terrasse, en haut de l'escalier. Je me dirige d'un pas résolu vers le premier palier.

— Où vas-tu comme ça ? gronde la voix du capitaine derrière moi.

— Attends-nous ! lance Alexis.

Je continue à escalader les marches jusqu'en haut du cap rocheux. La terrasse offre un magnifique point de vue sur le fleuve. Mais ce n'est pas le moment d'admirer le paysage. Je me dirige vers les touristes assis autour des tables rondes. Je réfléchis à ce que je vais bien pouvoir leur raconter…

— Bonjour. Je sais que ça peut paraître étrange, mais je suis…

Le capitaine Flop pose sa large main sur mon épaule.

– Ils ne peuvent pas te voir, Millie. Ils ne peuvent pas t'entendre non plus.

– Comment cela ? dis-je en tentant de me dégager.

– Tu voyages sur une goélette fantôme. Imagine la frayeur qu'auraient ces gens s'ils voyaient deux enfants débarquer de nulle part sur le quai !

– Génial ! s'exclame Alexis. Alors on est invisibles ! C'est magique !

Le capitaine m'entraîne à l'autre bout de la terrasse. Suivis par Alexis, nous descendons quelques marches avant d'emprunter un étroit sentier. Mon frère l'aventurier se précipite devant nous. Il disparaît derrière un bosquet.

Nous le retrouvons un peu plus loin, attablé devant un festin digne des plus merveilleux contes de fées !

– Millie, avoue que c'est vraiment extraordinaire ! C'est le plus fabuleux repas d'anniversaire que j'aie jamais vu ! s'exclame mon frère avec enthousiasme.

Je m'installe à la table en lui faisant une grimace. Je tends la main pour prendre une mini-pizza, mais je n'attrape que du vent.

Alexis le comique rigole en me disant :

– Peut-être que tu devrais t'excuser d'avoir voulu t'enfuir…

– Tu plaisantes ?

Vexée, je me lève d'un bond, mais je me retrouve nez à nez avec le capitaine. Je découvre la mer agitée au fond de son regard sombre.

– Alors, Millie, as-tu quelque chose à me dire ?

– Non. Absolument rien.

– Très bien, réplique le capitaine.

Je m'éloigne de mon frère et de son cher fantôme. Je marche d'un pas rageur jusqu'à un vieil arbre blanchi par les vents marins. Tiens, ce ne serait pas le même arbre tordu que celui de l'anse à la Baleine ? Le même aussi que celui de l'île Rouge ? Peut-être que chaque île a son arbre tordu…

Je m'assois près de lui en grommelant. C'est trop injuste. Une larme glisse sur ma joue et tombe sur le sol, suivie d'une autre et encore d'une autre. Ma vue brouillée me joue des tours. Je vois quelque chose de brillant par terre. Non, je ne rêve pas : sept magnifiques perles blanches forment un cercle. Ça me fait penser au bracelet que portait Rose Hambelton sur le portrait de l'auberge. Je tends la main pour les prendre, mais elles se déplacent et tracent une flèche. Je contourne l'arbre en suivant l'indication. Derrière, il y a un petit panier en osier. Je l'ouvre et j'avance la main vers les petits sandwichs ronds en espérant qu'ils ne vont pas s'envoler. Enfin, je peux manger ! Bien que ce soit tout à fait saugrenu, je murmure à cet arbre ami un grand et sincère merci.

• • •

— Viens, Millie, le capitaine veut partir. Nous allons explorer le phare de cette île. Le trésor se trouve sûrement là.

–Non, Alexis, NOTRE trésor n'est pas là et le trésor du capitaine ne m'intéresse pas du tout. Moi, je veux retourner à l'auberge. Je veux chercher avec toi le trésor que PAPA a caché pour notre anniversaire.

–Pourquoi est-ce que tu ne t'amuses pas? rugit mon frère. C'est encore plus passionnant que tout ce que

j'avais imaginé ! C'est une véritable expédition à bord d'une vraie goélette en compagnie d'un capitaine SUPER extraordinaire !

— Alexis. Je veux rentrer.

— Eh bien, pas moi. Je préfère aider le capitaine à retrouver son vrai trésor.

Sans ajouter un mot, mon frère court rejoindre le marin qui nous attend plus loin. Je ramasse les perles et je marche rapidement pour le rattraper. Plus j'observe le capitaine et plus j'ai l'impression qu'il ne cherche pas réellement un trésor. C'est bizarre, tout de même, il n'a même pas apporté de pelle pour creuser.

— Alexis, je sais que tu es fâché, mais admets que le capitaine Flop se comporte de façon plutôt étrange. Il nous conduit au phare de l'île Rouge, ensuite il dit que le trésor n'est pas là. Il nous emmène ici et on dirait qu'il n'a aucun indice !

Alexis me jette un regard sombre.

— Tu veux voir quelque chose d'incroyable ?

Mon frère hausse les épaules.

J'ouvre la main. Dans ma paume, les sept perles blanches se déplacent et tracent une flèche vers la gauche, là où il n'y a aucun sentier dans la forêt.

– Ça, c'est très malin ! se moque mon frère qui tente de cacher sa curiosité.

Au même instant, plusieurs arbres redressent leurs branches pour former un long tunnel verdoyant. Cette fois, Alexis est impressionné. Moi aussi !

– Alors, Alexis, tu me suis ?

Chapitre 4

Allégo le pirate

Une belle surprise nous attend au bout du tunnel… Le perroquet de mer ! Il est perché sur un gros rocher. Je suis contente de le retrouver, mais je n'oublie pas qu'il était sur l'épaule du pirate la dernière fois que je l'ai vu ! Ça alors ! Le vieil arbre tordu et blanchi par les vents est là, lui aussi. Décidément, il est partout ! Le perroquet va se poser sur une de ses branches.

Une drôle d'idée germe dans ma tête :

—Alexis, cet arbre ne te rappelle-t-il pas quelque chose ? Je me demande si ce n'est pas le pi…

Mon frère m'interrompt brusquement :

—Regarde, Millie, on dirait la chaloupe du pirate…

Il a raison ! La chaloupe est là, cachée entre les rochers. Mon frère se précipite vers l'embarcation. Il est enchanté de pouvoir l'explorer à nouveau. Il espère sans doute découvrir un autre indice. Mais il a à peine posé un pied à l'intérieur du bateau que la voile lui tombe sur la tête.

—Millie ! Viens m'aider ! hurle Alexis.

Avant que je ne fasse deux pas, une voix me fait sursauter :

—Millie, si tu veux, je vous ramène tous les deux sur l'île Verte.

Une délicate odeur de rose et de romarin me chatouille les narines. Je me retourne pour découvrir la mer qui danse dans un œil amusé. C'est le pirate au visage masqué ! Le nœud de son foulard cache la moitié de sa figure. Le perroquet est posé sur son épaule. Il se met à crier :

—Danger ! Danger ! Pirate masqué !

—Tu ne pourrais pas apprendre une autre salutation, toi ? marmonne gentiment le pirate.

Le moins que l'on puisse dire, c'est que je suis intimidée. Je ne sais pas quoi faire ni quoi dire. Je reste là à observer ce pirate. Il me rappelle quelqu'un…

Il hoche la tête en grimaçant.

– Eh oui, Millie ! Je suis le frère du capitaine Flop. Même les grands capitaines ont parfois des petits frères pour les embêter ! Je m'appelle Alexandre, mais pour les copains, c'est Allégo.

Puis, posant sa large main sur mon épaule, il me demande :

– Alors, Millie, je vous raccompagne ou pas ?

Je ne sais pas trop. Puis-je faire confiance à ce pirate ? Est-il un fantôme, lui aussi ? Mon frère ne sera peut-être pas content... J'ouvre la main. Les sept perles blanches pointent vers la chaloupe. Le pirate éclate de rire.

• • •

C'est à mon tour d'apprendre à naviguer. L'embarcation avance rapidement, grâce aux deux énormes nageoires qui sont apparues de chaque côté ! Je trouve cela très amusant. Alexis, lui, est toujours prisonnier de la voile. Il se tortille comme une anguille.

— Attendons qu'il se calme un peu avant de le libérer. Tu veux bien, Millie ?

J'adore quand le pirate me demande mon avis. Je le trouve très gentil.

Les bélugas sont là. Ils voyagent avec nous. Lorsque mon frère cesse enfin de gigoter, la voile colorée s'élève au-dessus de nous. Évidemment, Alexis n'est pas très content. Il m'accuse de toutes les trahisons.

— HOLÀ ! lance le pirate masqué. Si vous voulez vous chamailler, nous allons accoster.

À ces mots, une langue de sable surgit subitement de la mer, tout près d'une île.

— Tout le monde descend ! ordonne le pirate d'un ton ferme.

Je ne me sens pas très rassurée. Où sommes-nous ? Est-il possible que nous soyons déjà de retour sur l'île Verte ? Que va-t-il encore nous arriver ?

Alexis est enragé. Il saute vivement hors du bateau. Je descends, moi aussi, de la chaloupe. Le pirate, lui, ne quitte pas son embarcation. Il annonce tout bonnement :

–C'est le moment. Allez-y. Bagarrez-vous !

Chapitre 5

La grotte aux secrets

Ce face-à-face avec mon frère me semble grotesque. Nous n'allons tout de même pas nous battre comme deux kangourous !

– Écoute, Alexis…

– Non, gronde mon frère. À cause de toi, nous avons perdu la trace du capitaine Flop. Je voulais le retrouver, moi, ce trésor ! J'aurais dû aller explorer le phare de l'île du Pot au lieu de te suivre. Me voilà perdu sur un banc de sable… avec un pirate masqué ! As-tu oublié que les pirates sont des voleurs ?

– Mais Alexis ! C'est son frère. Le frère du capitaine !

– Ouais, c'est ça ! Et moi, je suis Tarzan !

Une colère terrible emporte mon frère. Il bouillonne. Étrangement, tout autour de nous, de grosses bulles s'élèvent dans les airs. Bientôt, je ne vois plus Alexis ni le pirate masqué. Heureusement, le perroquet de mer vient se poser à mes pieds. Je lui demande, effrayée :

– Que se passe-t-il ? Que dois-je faire ?

Il se tourne vers le fleuve et, juste avant d'y plonger, il me lance :

– Perles blanches ! Perles blanches !

J'ouvre la main, mais il ne se passe rien. Les perles ne bougent pas.

Tout à coup, un bruit effrayant me fige sur place. Une baleine énorme surgit de l'eau. J'ai la curieuse impression qu'elle m'observe. Le temps semble s'arrêter. Puis elle replonge avec fracas dans le mystère de son univers. Je recule brusquement pour ne pas me faire éclabousser.

Mais, par mégarde, je laisse tomber mes perles sur le sable.

Au même instant, une vague de mousse blanche bondit de la mer. Elle attrape mes précieuses billes nacrées et les emporte avec elle. Je vois alors sept dauphins acrobates s'élancer hors de l'eau. Ils m'offrent un grand ballet aquatique !

Puis tout redevient calme et j'entends

la voix de mon frère murmurer :

—Je m'excuse, Millie. C'est bête de se mettre en colère le jour de notre anniversaire.

Je me retourne vers Alexis. Sa colère l'aura privé du plus beau spectacle de l'été. Derrière mon frère, je remarque au loin la silhouette d'une chandelle. Ce ne serait pas le phare de l'île Verte ?

Je souris. Je crois bien que c'est lui ! Le perroquet se pose sur mon épaule et annonce :

– Danger ! Danger ! Pirate masqué !

J'aperçois la chaloupe du pirate qui roule vers nous tandis que la goélette du capitaine se dresse à l'horizon. Je saisis la main d'Alexis.

– Partons d'ici !

Nous courons jusqu'au bout de la langue de sable mouillé. Nous escaladons des rochers. Je jette encore un regard en direction du phare. C'est bien lui. C'est le phare de l'île Verte ! Le pirate a tenu parole. Je retrouve tout à coup toute mon énergie. Mais, de l'autre côté des rochers, c'est la catastrophe. Une falaise impressionnante nous arrête.

— Regarde, Millie…

Là, sur la paroi, je vois une lumière dessiner une belle dame blanche.

— Alexis, on dirait Rose Hambelton ! Tu te souviens ? Celle qui est sur le portrait. La fille du premier gardien.

— Millie, sur la goélette, le capitaine a dit que c'est elle qui avait caché la carte du trésor. Suivons-la !

La dame blanche se déplace très lentement. Nous marchons dans la même direction qu'elle. Tout à coup, la silhouette de Rose Hambelton disparaît.

— Regarde, Millie, on dirait l'entrée d'une grotte.

À l'intérieur, un délicieux parfum flotte dans l'air frais et humide. Je m'étonne de retrouver ici cette odeur agréable de rose et de romarin. J'ignore pourquoi, mais je n'ai pas peur. Même que j'adore cet endroit !

Tout y est calme et silencieux. Un peu comme si un voile de douceur nous enveloppait de secrets. Des étincelles de lumière dansent sur la pierre fissurée. On dirait que le temps a gravé sur ce mur-rocher une œuvre digne des plus grands musées. Je m'amuse à repérer la forme d'un sapin, d'un cheval, d'une main.

— Il y a peut-être un passage secret, dit mon frère.

Alexis s'enfonce dans l'obscurité. Il hurle soudainement :

— Millie, viens voir !

Il faut croire qu'il y a des trésors qui ne figurent sur aucune carte ! Nous découvrons, caché dans un coin obscur, un petit baril. Nous parvenons à soulever le couvercle sans l'abîmer. À l'intérieur, il y a des pains de savon parfumés à la rose et au romarin. Il y a aussi un pot en terre cuite vide, un sachet de graines, un dé à coudre en or et un splendide médaillon enfilé sur un fin cordon de cuir. Une rose d'ivoire.

—Mais c'est le médaillon du portrait ! Alexis, c'est le médaillon de Rose Hambelton !

À suivre…

Retrouve Millie, Alexis et le capitaine Flop dans toutes leurs aventures

Capitaine Flop – La chasse au trésor

Capitaine Flop – La grotte aux secrets

Capitaine Flop – Le coffre du pirate masqué (à paraître en 2008)

Nancy Montour

Chaque été, Nancy Montour
passe de merveilleuses vacances
au bord du Saint-Laurent. Un jour,
alors qu'elle explorait l'anse des
Cochons dans le merveilleux parc
du Bic, elle découvrit une falaise
toute craquelée. Les marées et
les saisons avaient dessiné sur ce
mur-rocher une histoire de naufrage
et de secrets oubliés…

Avec *Entre la lune et le soleil,* son premier roman, Nancy Montour a gagné le prix Henriette-Major, décerné chaque année à un nouvel auteur de littérature jeunesse par les éditions Dominique et compagnie. Cet ouvrage a également remporté le prix Cécile-Gagnon 2003.

Depuis, Nancy Montour a publié *Le cœur au vent,* finaliste du Prix du Gouverneur général 2004, *Lorina et le secret d'amour, Lorina et le monstre de jalousie, L'arbre à chats, Journal d'un petit héros* et *Capitaine Flop – La chasse au trésor.*

Dans la collection Roman lime